Méthode de lecture

Léo et Léa

Cahier d'exercices 2

Thérèse Cuche

Michelle Sommer

Illustrations

Marion Piffaretti

Nom :

Prénom :

Classe : Année :

8, RUE FÉROU 75278 PARIS CEDEX 06
WWW.EDITIONS-BELIN.COM

Belin:
ÉDITEUR INDÉPENDANT
DEPUIS 1777

Sommaire

Cahier d'exercices 2

Cahier d'exercices 1

© Éditions Belin, 2009

ISBN 978-2-7011-4977-6

1 Écris:

Papa sort.   ↔ _____

La chatte chasse. ↔ _____

Mamie est guérie. ↔ _____

Le canari dort.   ↔ _____

Papy est habile.   ↔ _____

2 Relie:

| rate |
| canard |
| chat |
| renarde |

mâle
femelle

| renard |
| chatte |
| cane |
| rat |

3 Dessine: 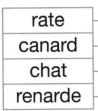 *Il est guéri.*   *Elle dort.*

☐ Elle est habile.   ☐ Il est solide.   ☐ Elle épie.

☐ Il est dodu.   ☐ Elle chahute.   ☐ Il se bat.

☐ Elle mêle les fils.   ☐ Il épie.   ☐ Elle chasse.

4 Écris: *il* *elle*

Léo dort et _____ rêve. La chatte sort puis _____ se cache.

Mamie se lève et _____ se lave. Milo se bat puis _____ chasse.

La lapine a fui : _____ est rapide. Jules a marché vite : _____ est fatigué.

Papa a bu du thé puis _____ a dégusté une figue.

date:

1 Écris: un une

_____ stop   _____ pli   _____ fenêtre

_____ crème   _____ stade   _____ brioche

_____ clé   _____ fruit   _____ grue

2 Relie les 2 syllabes du mot.   Écris les 3 mots.

Bru		oche
bri		hors
de		no

1 _____

2 _____

3 _____

3 Relie les 2 syllabes du mot.   Écris les 3 mots.

pré		lé
grif		pare
brû		fé

1 _____

2 _____

3 _____

4 Relie:

Rattrape		les frites.
Regarde et lis		la balle.
Sale		le livre.

5 Relie:

Frotte		à crêpes.
Prépare la pâte		une flèche.
Tire		la tache.

6 Écris: l r

des p__unes – un f__uit – la p__uie – la c__oche

la fenêt__e – des b__ioches – une p__ume – la c__é

date:

---

1 **Relie** les 2 syllabes du mot.

a	—	—	gré
fe	—	—	juste
mal	—	—	nêtre

Écris les 3 mots.

1 _____

2 _____

3 _____

---

2 **Relie** les 2 syllabes du mot.

é	—	—	flé
a	—	—	crit
sif	—	—	bri

Écris les 3 mots.

1 _____

2 _____

3 _____

---

3 **Écris:** *l*   *r*

Léo est le f__ère de Léa. Roméo est d__ôle.

Je me b__ûle. Tu dis une b__ague. Le cheval t__otte.

Le cartab__e de V__adimir est g__is.

Une c__oche sonne. Le mo__se est t__ès g__os.

---

4 **Place** les mots: *prépare   siffle   stade*

Léo va sur le _____ .

Il se _____ vite.

Il _____ Faro et il l'attache à sa niche.

---

5 **Place** les mots: *brioches   rugby   réussit*

Léo et Bruno adorent le _____ .

Léo ajuste le tir et _____ .

Après le rugby, ils achètent des _____ .

---

fr - fl - pr - pl - vl - vr

date:

---

1 **Relie** les 2 syllabes du mot.

sa			bri
é			bot
a			pine

Écris les 3 mots.

1 _____

2 _____

3 _____

---

2 **Relie** les 2 syllabes du mot.

bis			mir
dor			cuit
clô			ture

Écris les 3 mots.

1 _____

2 _____

3 _____

---

3 **Écris :** *l* *r*

Tu siff___es comme un canari. Je rac___e mes semelles sales.

Julie a mis une b___ioche à cuire.

Tu me p___êtes une gomme et ta c___é.

Tu bêles comme la chèv___e : « mêêê ».

---

4 **Place** les mots : *marguerites* *libre* *arrache* *corde*

Cabiria a cassé sa _____.

Elle est _____. Elle se régale de _____.

Elle _____ une grappe de lilas.

---

5 **Place** les mots : *griffent* *cabriole* *Fatiguée* *frotte*

La chèvre _____. Elle _____ ses cornes.

Les épines la _____.

_____, elle s'arrête, elle dort.

1 Relie:

Le bus	préfère-t-il être à l'arrière ?
Vladimir	a-t-elle pris la fuite ?
La lapine	a-t-elle léché le biscuit ?
La chèvre	a-t-il stoppé ?

2 Écris: 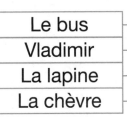 mes tes ses

Tu prêtes _____ balles à Bruno. La chatte lèche _____ petits.

Je prête _____ livres à Zohra. La chèvre frotte _____ cornes.

Tu brosses _____ bottes. Je ne prête pas _____ bagues.

3 Relie:

Les loriots	attrape les mulots.
Le renard	sifflent.
Le canari	attrapent des grappes de lilas.
Les chèvres	siffle.

4 Relie:

Léa	griffe Vladimir.
Les épines	préparent le thé.
Milo	prépare des crêpes.
Jules et Léo	griffent la chèvre.

5 Place les mots:  appris tes crêpes

Léa va-t-elle réussir les _____ ?

Bruno a _____ les passes de rugby.

Tu ne lui prêtes pas _____ bottes.

6 Écris: 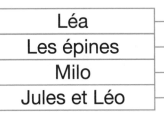 elle il

Le légume est-_____ cuit ?

La tarte est-_____ cuite ?

date:

1 **Relie** les 2 syllabes du mot.

gran	—	—	tir
sa	—	—	dir
men	—	—	vant

Écris les 3 mots.

1 _____

2 _____

3 _____

2 **Écris:** *D'abord* *Ensuite*

_____, j'écris une carte. _____, je la poste.

_____, je plante des pensées. _____, elles grandissent.

3 **Encadre:** an am em en

J'allume la lampe. Elle attend le dentiste. J'entre.

Tu trempes tes manches. Elle plante des pensées.

J'entends le vent. Je remplis le pot.

4 **Place** les mots: *trempée* *pensées* *ressemble* *plantera*

Tante Marie achète des _____.

André les _____.

Marie est _____ par la pluie.

Mamie lui dit: « Léa te _____ ».

5 **Place** les mots: *attendre* *dent* *blanc*

Mamie mord dans un chocolat _____.

Elle se casse une _____.

Elle devra _____ le dentiste.

date:

1 **Relie** les 2 syllabes du mot.

ca	née
an	nane
ba	bane

Écris les 3 mots.

1 _____

2 _____

3 _____

2 **Écris :** e   ent

Le vent chant_____. Papa rentr_____ déjà.

Le sable s'envol_____. Les enfants entend_____ du bruit.

Des branches se cass_____. Tes parents plant_____ un frêne.

3 **Encadre :** an   ane   anne   am   ame   amme

Ma moto est en panne. La flamme brûle.

Sors de ta cabane ! Allume la lampe !

La dame rit. Cabiria mange des lilas blancs.

4 **Place** les mots : prend   empêche   entend   branche

Le vent _____ les enfants de dormir.

Léa _____ des bruits de pas.

Elle _____ la canne de Papy.

Le vent a cassé une _____.

5 **Place** les mots : chambre   embrasse   s'endorment   bandit

Léa pense : « il y a un _____ ».

Le père entre dans la _____.

Il _____ Léo et Léa.

Les enfants _____.

an - ane - anne - am - ame - amme   9

date:

1 **Relie** les 2 syllabes du mot.

ci	—	—	varde
ba	—	—	cule
cir	—	—	gale

2 **Relie** les 2 syllabes du mot.

ca	—	—	cent
ac	—	—	cine
vac	—	—	rotte

3 **Regarde, lis, écris, illustre.**

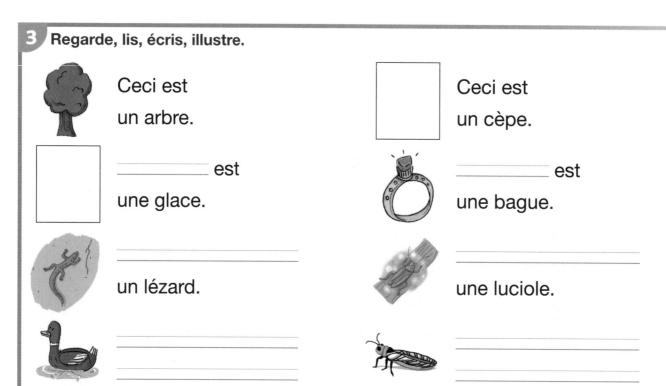

Ceci est un arbre.

_____ est une glace.

_____ un lézard.

_____

Ceci est un cèpe.

_____ est une bague.

_____ une luciole.

_____

4 **Place** les mots : *accident   grave   glace   lancé*

Brice s'est _____ à vélo dans une rue.

Il a dérapé sur la _____.

C'est un _____ de vélo. « Ce n'est pas _____,

dit Léo, le vélo n'est pas abîmé ! »

5 **Place** les mots : *cèpes   bavardent   séchés*

Brice et la mère de Léo _____.

Il emportera des cèpes _____.

Le père de Brice adore les _____.

ce - cé - cè - cê - ci - cy

date:

1 **Relie** les 2 syllabes du mot.

ci		chon
co		son
buis		tron

pro		bon
bon		zé
bron		fond

2 **Encadre** et **colorie** le son [on] en marron.

Mon pantalon est trop long. Ton pull est blanc.

Son avion est en carton. Ton ballon est gonflé.

Mon savon sent bon. Son piano est très grand.

3 **Complète** le mot : *an* *on*

Un p_____t sur la rivière. L'écr_____ de cinéma.

Un citr_____ mûr. Le volc_____ en flammes.

Des marr_____s cuits. Un avi_____ en vol.

Un cami_____ de 10 tonnes. Une jupe en cot_____.

Il ch_____te _____ze chans_____s. Il colorie le r_____d.

4 **Place** les mots : *bruits* *profonde* *dragon* *marrons*

La forêt est _____.

Léon et Gaston ramassent des _____.

Ils entendent des _____ bizarres.

« C'est un _____ ! » dit Léon.

5 **Place** les mots : *cochon* *flammes* *longue*

Les dragons ont une langue très _____.

Ils crachent des _____.

Ce n'est pas un dragon, c'est un _____ !

on - om

11

1 **Relie** les 2 syllabes du mot.

ga	pion		la	tonne
la	zon		ron	pone
cham	pon		é	chonne

2 **Complète** les mots : on onne omme

Les enfants achètent des p_____s. Il me rac_____te l'accident.

Léa j_____gle vite : c'est une champi_____.

Je chante c_____ lui. Tu lui d_____s un citr_____.

3 **Relie.**

Onze lapons font	sur un pont.
Un enfant jongle	ses amies lapones.
Il étonne	champion.
C'est un	une ronde.

4 **Relie.**

La balle tombe	sonne midi.
Le lapon mécontent	dans la rivière.
Une cloche	s'en vont.
Les petits démons	ronchonne.

5 **Raconte** une aventure de Faro. Léa te donne des mots.

ballon
Faro
blanc.
a mordu

tape
Gaston
Faro.
méchant

est fâché,
Gaston
est dégonflé.
son ballon

---

1 **Relie** les 2 syllabes du mot.

é	gent	gi	gée
gé	ponge	gor	gal
ar	nial	ré	clé

---

2 **Complète** les mots : ge   gue

Léo man_____ une fi_____. Léa ran_____ ses ba_____s.

Je regarde le manè_____. Il plon_____ dans les va_____s.

---

3 **Complète** les mots : gi   gui

Le lion ru_____t. Le _____don du vélo est tordu.

Il y a du _____vre sur la vitre. Tu me prêtes ta _____tare.

Le _____got est trop cuit.

---

4 **Complète** les mots : e   ent

Faro nag_____. Les enfants lug_____. Je plong_____.

Les chats mang_____. Ces guêpes me dérang_____.

---

5 **Place** les mots : ballon   nagent   nuages   plonge

Léo et Léa _____ à la piscine.

Ils se lancent un _____.

Léo _____ comme un canard.

Des _____ sombres arrivent.

---

6 **Place** les mots : gelée   éclate   attrape   tombé

Faro est _____ dans la piscine.

On l'_____ par les pattes.

L'orage _____. Sans pull, Léa est _____.

---

date:

---

1 **Relie** les 2 syllabes du mot.

fa			soit
his			tigue
s'as			toire

en			boie
a			fum
par			voie

---

2 **Complète** les mots : *oi on an*

une chans____ triste

une guitare en b____s

le m____s d'octobre

un jus d'or____ge

la lune et les ét____les

un petit chat____

des marr____s à cuire

des bulles de sav____

un joli rub____

une tr____che de jamb____

le s____r de Noël

les parfums du b____s

---

3 **Complète** les mots : *oi on an*

Je t'env____e une carte. Il me gr____de. Le ball____ est à t____.

Il lève le d____gt. La br____che est tombée. C'est à m____.

Ils m____gent des petits p____s et ils b____vent du jus de p____re.

Gast____ a s____f. Ici, le vent du s____r est fr____d.

Je v____s une girafe gé____te.

---

5 **Raconte** l'histoire du loir dans le bois. Léo te donne des mots.

Faro sent loir	_____
Faro et aboie s'enfuit loir	_____
Léa loir voit arbre dans	_____

---

oi - un ↔ um

date:

1 **Relie** les 2 syllabes du mot.

| ma |
| ké |
| mys |

| tère |
| gique |
| pi |

| ki |
| pi |
| gé |

| quant |
| ant |
| lo |

2 **Lis** « Oncle Karl » et **réponds**.

Qui a skié ?

Qui est fatigué ?

Qui prépare le chocolat ?

3 **Regarde, lis** et **réponds**.

Qu'est-ce que c'est ?

Qui est-ce ?

Que vois-tu ?

Qu'est-ce qui manque ?

4 **Place** les mots : manque Qui attend ski

Les enfants font du _____.

_____ va trop vite ? C'est Karl !

Léa _____ un virage. Karl n'_____ pas !

5 **Place** les mots : brûlant claque moque Est-ce que

Léo _____ des dents. « Vite ! Un chocolat _____ ! ».

_____ les cables sont solides ?

Léa se _____ de Léo.

1 **Complète :** sont suis est être es

Gaston _____ bronzé. Les enfants _____ sages. Je _____ vive.

Tâche d'_____ prêt quand il arrivera. La fée Lulla _____ blonde.

Tu _____ génial ! Tu _____ à l'abri. Les girafes _____ grandes.

2 **Relie** les 2 syllabes du mot.

moi	zé		gen	cine		ac	fé
bron	lant		cy	darme		coif	flé
brû	tié		vac	cliste		gon	cent

3 **Relie.**

Les ronces	m'écorche.
Une branche	éclatent.
L'orage	m'écorchent.
Les ballons	éclate.

4 **Encadre** les mots en marron quand tu entends le son [on].

Il y a une longue file de voitures.   La cloche sonne.

Léon a pris une bonne pomme.   On rentre très tôt.

Tu lances ton ballon.   Montre-moi ton stylo blanc !

5 **Complète :** magique skient craqué moque kayak

Qui ira en _____ sur la rivière ? La ficelle a _____.

La fée regarde dans son miroir _____.

Léo et Léa _____ en décembre. Léa se _____ de Léo.

6 **Encadre** les mots en noir quand c se prononce [s].

Ce chocolat est blanc.   Le lac est froid en décembre.

Je mange une crêpe à la confiture.   Cela est vrai.

Ce cinéma a un écran géant.   Je commande une glace.

1 Complète les mots: *oi on an*

Un fl___ trop sucré – une tranche de th___ – un gr___d frère

le s___ du piano – une or___ge mûre – une arm___re en b___s

des nuages n___rs – l'ét___le filante – une ép___ge sur le lavabo

la pl___che à voile – un citr___ acide – un scorpi___ qui pique

2 Relie.

À quoi penses-tu ?
À qui écris-tu ?
Comment vas-tu ?
Quand pars-tu ?

J'envoie une carte à Léo.
Je réfléchis à un conte.
Le onze avril.
Je suis malade.

3 Complète les mots: *ge gue*

Léon ran___ sa lu___. Léa man___ des fi___s.

Ils quittent le manè___. Le canot vo___ sur les va___s.

4 Complète les mots: *gi gui*

Le tigre ru___t. La pluie ___cle. Tu ___des le vélo.

La ___tare est en bois. Le gara___ste est fatigué.

5 Raconte l'histoire de la girafe. Léa te donne des mots.

Ce soir,
rêve
girafe
cage.
dans

Elle
cirque.
quitte

Elle
en Afrique.
part

1 **Lis**, puis **écris** les mots dans la bonne colonne.

J'ai glissé.	Déjà fait.	Plus tard.
Je skiais.		
Je skierai.		
Je glisserai.		
Je dirai.		
J'ai dit.		

2 **Lis** « Une petite reine » et **complète**.

Léa aime faire du _____.

Léo préfère faire du _____.

Quand ira-t-il à Manosque ? En _____.

Qui sera championne de ski ? _____.

3 **Lis** la page 88 du livre 1 et **complète** les mots : ei ai

La n____ge tombe. J'____ une p____re de bottes.

Les bal____nes sont énormes. Léa sème des gr____nes.

Tu ____mes les crêpes. Mes boîtes sont pl____nes.

4 **Place** les mots : faire parlent neige peine

Les enfants _____ des vacances. En été, Léo ira _____

du vélo. « À vélo, dit Léa, on _____ dans les côtes ;

quand je glisse sur la _____, on dirait que j'ai des ailes ! »

5 **Place** les mots : freine qui accélère

À vélo, dit Léo, c'est moi _____ commande. Si je vais trop vite,

je _____. C'est moi qui décide si j'_____.

1 **Lis** « À la campagne » et **réponds.**

Qui est caché dans un buisson ? _____

Qui se bat contre Roméo ? _____

Qui craquète ? _____

Qui s'approche des canetons ? _____

2 **Complète** les mots :   n   gn

Tu construis une caba____e. Il habite à la campa____e.

Roméo se co____e contre la porte. Je mange une ba____ane.

Il gri____ote un biscuit. Les ca____etons mi____ons ____agent.

3 **Relie.**

Ton équipe	se baigne quand il en a envie.
Léa	n'a pas gagné ce match.
Les canards	se peigne quand elle se lève.
Léo	se baignent dans la mare.
Mes numéros	se peignent devant le miroir.
Léon et Gaston	n'ont pas gagné le gros lot.

4 **Place** les mots :   cigogne   étang   rossignol   drôle

Les arbres se reflètent dans l'_____. Roméo fait un

_____ de rêve. Il se bat contre une _____ géante !

Puis il attrape un _____ dodu !

5 **Place** les mots :   renard   trompette   cancanent

Voilà que les canes _____, et que le cygne _____.

Ils craignent le _____ qui approche.

1 **Complète** les mots : *ou* *oi*

Je déc____pe. Je me c____ffe. J'env____e une carte.

Il a lancé la b____le de pétanque. J'____vre une b____^te.

Papa change la r____e et t____, tu arraches le cl____.

2 **Complète** les mots : *ou* *on*

Je m____te les marches. Tu c____rs après la p____le. Il pl____ge.

J'ai ____blié m____ m____choir. Il mange s____ g____^ter.

Il me b____scule. Je me cache s____s le p____t.

3 **Complète** : *ou* *et*

Est-ce que tu préfères le sucre ____ le poivre ?

Tu as 2 bras ____ 2 jambes. On joue à pile ____ face !

Le chat a des poils ____ des moustaches.

La girafe est-elle grande ____ petite ?

Milo ____ Suzy sont les parents de Roméo.

Est-ce que tu arriveras tôt ____ tard ?

4 **Place** les mots : *louve* *fourré* *loup* *coucou*

Le _____ s'est approché sans bruit.

Il a attrapé le _____ tout roux.

Il l'a _____ dans sa poche.

La _____ va-t-elle le cuire ?

5 **Place** les mots : *grosse* *s'enfuit* *frousse* *oublie*

Quelle _____ il a, le coucou !

Mais le loup voit une bécasse plus _____.

Il _____ le coucou. Le coucou _____.

1 Complète: où quand qui quoi

_____ a sonné ? _____ habite ce médecin ?

_____ parle ? Je ne sais pas _____ faire.

Je bois du lait _____ j'ai soif.

_____ est la boulangerie ? _____ te taquine ?

2 Regarde et lis: taquin taquine gamin gamine câlin câline

puis **place les mots.**

la chatte c_____ – un g_____ sympathique

une copine très t_____ – une petite g_____

un chaton c_____ – un enfant t_____

3 Que feras-tu plus tard?

J'inventerai _____

J'élèverai _____

Je fabriquerai _____

J'écrirai _____

4 Place les mots: soignera il robot médecin

Quand _____ sera grand, Léo sera _____.

Il _____ les grippes de Mamie. Il fabriquera un _____.

5 Place les mots: pintades campagne elle nourrira

Quand _____ sera grande, Léa vivra à la _____.

Elle élèvera des dindes et des _____.

Elle les _____.

date:

1 **Complète** par : *ons* *ez*

Nous invent_____ une histoire. Vous aim_____ les champignons.

Où all_____-nous ? Où habit_____-vous ? Vous arriv_____ tard.

Vous gagn_____ souvent. Vous soign_____ des malades. Nous sort_____.

2 **Ajoute** le mot qui manque.

Sur le pommier, mûrit la

Sur l'olivier, mûrit l'

Sur l'abricotier, mûrit l'

3 **Place** les mots : *manger* *remuer* *baigner* *signer*

Papa va _____ mon cahier.

J'aime _____ des figues.

Le pingouin a vu l'ours _____. Il va se _____.

4 **Trouve** les mots qui manquent, ils finissent par *er* .

Léa sait j_____ du piano.

Les singes savent g_____ dans les arbres.

Tu vas g_____ la course à pied.

5 **Place** les mots : *Venez* *marier* *chanter*

Clara et Didier vont se _____. « _____ tous à Bilbao »,

dit Clara. Nous pourrons danser et _____.

6 **Place** les mots : *sourit* *port* *emmener*

Roger voudrait _____ Léa à Bilbao.

Il lui montrerait les grues sur le _____.

Léa _____ : cela lui plairait.

1 **Écris**, puis **barre** le e muet (on ne l'entend pas) et **souligne** le e qui se lit [è].

la terre : *la terre*

du verre : _____

la veste : _____

je verse : _____

l'herbe : _____

le reste : _____

2 **Relie** les 2 syllabes du mot.

bou			mer
ber			der
fer			cer

vio			tesse
fi			lette
vi			celle

3 **Voici trois légumes :** l'asperge, l'épinard, la pomme de terre.

Lequel préfères-tu ? _____

Voici trois objets : une échelle, un carnet, une ficelle.

Lequel coûte le plus cher ? _____

4 **Relie.**

| On attache |
| On repasse le linge |
| On finit le repas |
| On regarde |

| avec le dessert. |
| avec des lunettes. |
| avec du fil de fer. |
| avec un fer à repasser. |

5 **Place** les mots : *premier   plat   dessiner   marelle   pierre   gagné*

Jouons à la _____ !

Je commence par la _____ avec la craie.

Cette _____ est trop lourde.

Trouvons un galet tout _____ .

Tu es arrivé le _____ dans le ciel. Tu as _____ .

e ↔ è

23

---

1 **Écris,** puis **barre** le e muet (on ne l'entend pas) et **souligne** le e qui se lit [è].

la terre : *la terr~~e~~*

la perle : _____

la ficelle : _____

l'échelle : _____

verte : _____

le merle : _____

---

2 **Relie** les 2 syllabes du mot.

hô	—	—	mer
bou	—	—	tel
a	—	—	lette

ver	—	—	let
car	—	—	ser
vio	—	—	net

---

3 **Place** les mots : ferme   ferment   remercie   remercient   termine   terminent

Léa et Léo _____ le repas par un dessert.

Les enfants _____ pour les jouets.

Léo _____ la porte. Les parents _____ les volets.

Zohra _____ son devoir. Elle _____ pour la poupée.

---

4 **Place** les mots : sel   fourchette   verre   dessert   assiette

Tu bois dans un _____ .

Tu mets du _____ sur la viande.

Tu piques avec ta _____ dans l'_____ .

Tu finis le repas avec un _____ .

---

5 **Relie** les mots qui riment.

vitesse	—	—	sauterelle
marelle	—	—	politesse
chercher	—	—	perchoir
mouchoir	—	—	percher

e ↔ è

24

1 **Complète** les mots par an , par on , ou par in .

tes pat____s – le citr____ – une pl____che – pard____ ! – la f____ du film

le mat____ – un fl____ – des requ____s – le gr____d cami____ – une p____tade

2 **Complète.** Dans les mots qui manquent on entend [gn].

Je me *b*_____ à la piscine. Il s'est écorché : tu le *s*_____ s.

Tu n'as pas *g*_____ la course. Papa *s*_____ mon cahier.

3 **Complète :** médecin   boulanger   jardinier   vétérinaire   boucher

Qui soigne les bêtes ?   *Le*_____

Qui soigne les malades ?   *Le*_____

Qui fait les brioches ?   *Le*_____

Qui soigne les plantes ?   *Le*_____

Qui vend de la viande ?   *Le*_____

4 **Relie.**

Où se cachent les lapins ?	—	—	sur l'étang.
Où est le pinson ?	—	—	dans des trous.
Qu'est-ce qu'une baleine ?	—	—	sur la branche.
Où est le cygne ?	—	—	une bête géante.

5 **Complète** les mots par ai , par ou .

Je tr____ve une p____re de gants. Il s____t sa leçon. Il se m____che le nez.

La cr____e est blanche. Tu bois du l____t froid. Je mange un ya____rt.

date:

1 **Trouve** des mots qui finissent par *eau* .

Pour traverser la mer on prend le *b*_____.

En hiver, Papa met une casquette, maman met un *ch*_____.

Le roi habite au *ch*_____.

2 Il manque chaque fois le même petit mot de 2 lettres. **Écris-le.**

Je joue ☐ cerceau. Tu écris ☐ père de Brice. Il part ☐ galop.

Mets le plat ☐ chaud. Allons ☐ stade. Ils se chauffent ☐ gaz.

Tu vas ☐ cinéma. Il est ☐ lit. Je vais ☐ théâtre.

3 **Complète** les mots par au par ou .

l'___truche – le b___chon – le hib___ – une corde à s___ter – une t___r

l'___tomobile – le m___ton – le b___ton – l'___tomne – une f___te

4 **Complète** par *au* ou par *à la* .

Je vais _____ plage. Vous plongez _____ fond de la mer.

Nous partons _____ cirque. Tu es _____ piscine.

Ils partent _____ montagne. Vous arrivez _____ sommet.

_____ zoo, les animaux sont enfermés.

5 Léo répond à son oncle d'Afrique. **Essaie d'écrire sa lettre;**
voici quelques mots pour t'aider.

Cher
remercie
lettre
réjouis
voir
animaux
j'aimerais
je rêve

au - eau

1 **Complète :** s'amuse se déguise s'amusent se déguisent

Les enfants _____ en monstres pour le Carnaval !

Léo et Luc _____. Léa _____ en fée.

Zohra _____ à imiter un singe.

2 **Souligne** le s quand il se lit [z].

Comme ceci : une ro<u>s</u>e   la poste   **A toi :**

un cousin – la résine – l'oiseau – la danse – stop – le castor

la cerise – le bus – du rose – renversé – la maison – le poison

les raisins – juste – le vase – ton rosier – le sapin – un baiser

3 **Relie.**

il saigne
Je lave ma veste
Tu détestes l'hiver
Je suis en retard

à cause d'une tache de résine.
à cause d'une épine de rose.
à cause de la panne de bus.
à cause du froid.

4 **Place les mots :** danse   entorse   à cause

Léa s'est fait une _____ en tombant.

Elle a glissé _____ du verglas.

Pendant cinq semaines, plus de _____ !

5 **Place les mots :** framboises   châtaignes   saison   baignent

L'été, c'est la _____ que Léa préfère.

En été, les enfants se _____ dans l'océan.

Léo aime faire griller des _____ en automne.

Les _____ mûrissent en été.

s entre 2 voyelles

27

date :

1 **Complète :** je veux – tu veux – il veut – elle veut – on veut

Je _____ aller chez Zohra.

Elle _____ acheter des glaces.

Il _____ poster le courrier.

Tu _____ guider le cheval.

On _____ arriver à l'heure.

Je _____ accompagner Léa à la danse.

Il _____ s'amuser aux billes.

Tu _____ ranger ton livre sur l'étagère.

2 **Complète :** creuse   délicieux   nuageux   juteuse

Un ciel _____   Un dessert _____

Une assiette _____   Une poire _____

3 **Relie.**

Léo console Léa		parce que tu as peur.
Paul porte des lettres		parce qu'il pleut.
Tu trembles		parce qu'elle pleure.
Je m'abrite		parce que c'est ta sœur.
Elle te ressemble		parce qu'il est facteur.

4 **Place les mots :** croqueuse   heureuse   farceuse   vendeur   blagueur   heureux

Léo est farceur et Léa est _____.

Léo est croqueur de pommes et Léa est _____ de cerises.

Léa est _____ en été, Léo est _____ en automne.

Léa est vendeuse de bracelets et Léo est _____ de billes.

Léa est une blagueuse, Léo aussi est _____.

date:

1 **Complète:** *je peux – tu peux – il peut – elle peut – on peut*

Il _____ dessiner un phacochère.

Elle _____ plonger avec un masque. Je _____ gagner.

Tu _____ t'habiller tout seul. Il _____ venir avec sa sœur.

Je _____ faire un gâteau. On _____ jouer aux quilles.

2 **Lis** « Histoire d'œufs » et **réponds.**

Qu'est-ce que Léo a trouvé dans le pré ? _____

Où est le nid des oiseaux ? _____

Qui pourrait écraser les œufs ? _____

3 **Trouve** des mots qui riment avec.

peureux : _____   amoureuse : _____

le beurre : _____   danseur : _____

des bœufs : _____   un jeu : _____

furieuse : _____   le cœur : _____

creux : _____   la peur : _____

4 **Place** les mots : tondeuse   croquer   bœuf   Heureusement   œufs   dépose

La merlette a pondu ses _____ dans l'herbe. C'est imprudent !

La _____ peut couper l'herbe, et les œufs avec !

Le _____ pourrait les écraser ;

le renard pourrait les sentir et les _____ .

_____ , Léo, toujours curieux, a trouvé le nid vide ;

il y _____ les œufs.

date :

1 **Complète :** sautille s'habille grillent s'habillent grille

Les lapons _____ de vêtements chauds.

Papy _____ du poisson pour le repas du soir.

Une fillette _____ sur le trottoir.

Léo et Léa _____ des marrons.

Léo _____ pour sortir.

2 **Complète** le mot avec : tille bille guille pille

l'an_____   Le champagne pé_____.

des len_____s   Il se tor_____.

Je m'ha_____.   J'épar_____ les cartes.

Il sau_____.   une myr_____

3 **Relie.**

L'anguille
Le champagne
Le rossignol
Le papillon
Une étoile

pétille dans le verre.
chante la nuit.
butine dans les fleurs.
brille dans le ciel.
se tortille dans l'eau.

4 **Place les mots :** billet billard pastilles myrtilles

Mon grand frère joue au _____.

J'ai calmé ma toux avec des _____.

Tu paies ta place avec un _____.

Ramassons des _____ pour la tarte !

5 **Place les mots :** coquillages s'habille quilles

Cendrillon _____ pour le bal.

Je renverse d'un coup toutes les _____.

Cherchez des _____ sur la plage !

1 **Complète** les mots par v ou ph .

un a____ion – le ____are – un ____acochère – la ____itrine – un dau____in

un ____otogra____e – des tra____aux – une ____otocopie – un nénu____ar

2 **Complète** par des mots qui s'écrivent avec ph .

J'achète des médicaments à la _____.

Les _____ ont une trompe et des défenses.

Tu as perdu mon numéro de t_____.

Le _____ est une lampe qui guide les bateaux.

3 **Écris** chaque mot dans la bonne colonne.

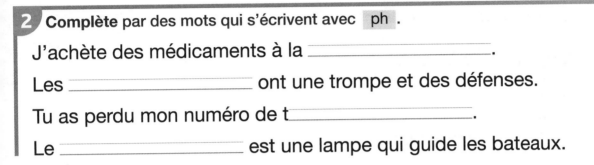

hibou – chinois	ph	ch	h muet
éléphant – dehors			
réfléchir – photo			
phare – château			
chanson – hulule			
hôtel – pharmacie			

4 **Place** les mots: éléphants photo téléphone

Claude _____ à Philippe pour le safari.

Au bord du lac, les _____ s'aspergent d'eau.

Léo les prend en _____.

5 **Place** les mots: pharmacie piqûres courent pique-nique

Les autruches aussi _____ très vite.

On ne doit pas oublier la trousse à _____ à cause

des _____ d'insectes.

C'est Claude qui porte le _____.

1 **Complète** le mot par c ou par ç.

un gla___on – tes sour___ils – le ___ycliste – le gar___on – la le___on

un ma___on – un ___itron a___ide – ma balan___oire – une gla___e

2 **Trouve** le mot qui manque. Il comporte un ç.

J'apprends toujours mes l_____.

Gaston est un g_____.

Le c_____ sort ses cornes.

3 **Relie** les 2 syllabes du mot.

gar			tron
ci			çu
re			çon

ce			çon
dé			ci
gla			çu

4 **Relie.**

En déplaçant le lit,			en fronçant les sourcils.
L'hameçon s'est détaché,			tu as retrouvé ta bague.
En te balançant,			quand j'ai lancé la ligne.
Tu me regardes			tu es tombé dans le sable.

5 **Place** les mots : garçons élan balançoire

Cécile s'installe sur la _____.

Léo prend son _____ et la pousse.

Cécile dit : « Les _____ sont trop forts ! »

6 **Place** les mots : nuages c'est glaçons Cela

Cécile imagine qu'elle se cacherait dans les _____ !

Elle bombarderait Léo de _____ !

_____ la fait rire. « À toi de me pousser, dit Léo,

et _____ moi qui rirai ! »

ç

1 Complète : *pose   déguise   passent   posent   passe*

Zohra et Nadine _____ de bonnes vacances à la montagne.

Le temps _____ trop vite ! Léo _____ ses lunettes

sur son bureau. Julie se _____ en princesse.

Les avions se _____ sur la piste d'atterrissage.

2 Relie.

Mon doigt se coince	à cause du rhume des foins.
La branche casse	dans un trou du grillage.
Tu glisses	à cause du poids des fruits.
Elle tousse	à cause d'une peau de banane.

3 Complète le mot par **oi** ou par **oin** .

Quelle est la p_____ture de tes chaussures de ski ? Tu vas trop l_____.

Sans lunettes, je ne v_____s pas très l_____. Luc dessine avec s_____.

Le chat est c_____cé sous l'arm_____re. Il fait m_____s fr_____d.

Donne-m_____ ce p_____sson ! La phrase se termine par un p_____t.

4 Relie chaque mot à son contraire.

minuscule	arrondi	près	après
construire	énorme	avant	moins
pointu	démolir	plus	loin

5 Lis « La fusée » et **réponds.**

Que dessine Léo ? _____

Qui habite sur la planète Mars ? _____

Qui est dans la fusée ? _____

Comment s'appelle l'habit des astronautes ? _____

Pourquoi voit-on la terre toute petite de là-haut ? _____

_____

Aimerais-tu aller dans l'espace ? _____

date :

1 **Complète** les mots par au ou par eu .

Ce n'est pas de ma f____te. Il fait ch____d. Quelle h____re est-il ?

Je dessine avec un f____tre. Je mets mes ch____ssures n____ves.

J'ai p____r du f____. Il se ch____ffe au gaz. Il v____t jouer.

2 **Lis** tous les mots puis **place-les** :

| poison |
| case |
| baiser |
| cousin |
| poisson |
| casse |
| baisser |

Blanche-Neige a mangé du _____. Joseph est

le _____ de Léa. Véra console Bruno

avec un _____. Zohra _____ sa tire-lire.

J'élève un _____ rouge.

Il faut se _____ pour ramasser les champignons.

Dans chaque _____ on écrit un numéro.

3 **Complète** les mots par es ou par er .

Le bœuf broute l'h____be v____te. Il a p____du sa v____te. C'est f____mé.

Elle m'én____ve. J'____père qu'il va gagner. Tu as pr____que t____miné.

4 **Relie** chaque mot à son contraire.

courageux			riche
plus			peureux
pauvre			moins

fille			seul
ensemble			vieux
neuf			garçon

5 **Place** les mots : planète   lentilles   éléphants   neuf

Voulez-vous un plat de grillons aux _____ ?

Un poussin tout _____ est sorti de sa coquille.

Léo envoie sa fusée visiter la _____ Mars.

En Afrique, Léo a filmé des _____.

6 **Complète** les mots par c ou par ç .

Une gamine demande une gla____e. Le colima____on montre ses cornes.

Je lan____e la balle de toutes mes for____es. Je ris en me balan____ant.

1 **Complète** les mots par eau ou par oin .

Il met son chap_____. Je coupe un morc_____ de saucisson.

Il vide l'_____ de sa piscine. La p_____te de mon feutre est usée.

J'ai m_____s de quilles que toi. Ce pot_____ se voit de l_____.

2 **Place** les mots : perles   cerisier   poésie   vertes

Je veux écrire ma _____ sur mon carnet. Tu enfiles

des _____ bleues, jaunes et _____ pour faire un collier.

Avec une échelle, on peut grimper sur le _____.

3 **Place** les mots : loin   renversé   fillette   électrique   bille

La _____ suce une pastille. Tu lances ta _____ très

_____. Le vent a _____ un poteau _____.

4 **Trouve** des mots qui riment avec.

foin : _____   jeu : _____   fille : _____

pelle : _____   heure : _____   bonnet : _____

5 **Écris.**

deux mots avec *ph* : _____

deux mots avec *ch* : _____

deux mots avec *h* muet : _____

6 **Place** les mots : deux   sauter   marelle   ciel

Quand on joue à la _____, on doit _____ sur

un pied ou sur _____ pieds. On avance depuis la terre

jusqu'au _____.

7 **Place** les mots : case   jouer   perdu   c'est

En sautillant, on pousse le galet dans la bonne _____. Sinon,

on a _____ et _____ à l'autre de _____.

1 **Complète** les mots avec la bonne syllabe : geo geon gea go gon ga

Léa est malade ; elle a la rou_____le.

Les ci_____gnes ont les pattes rouges.

Au printemps, il y a des bour_____s sur les arbres.

Des zèbres _____lopent dans la savane. Mon ballon est dé_____flé.

Marie boira une oran_____de fraîche. Tous les pi_____s s'envolent.

Le phoque fait un plon_____ dans les vagues.

Les _____rilles sont de très grands singes.

2 **Relie.**

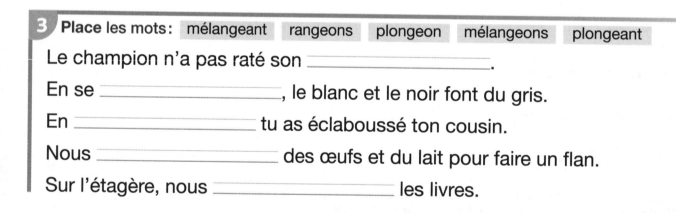

J'ai sauté	en nageant sans bouée.
En lugeant,	du grand plongeoir.
J'avance vite	je l'ai cassé.
En rangeant le bol,	j'ai perdu un gant dans la neige.

3 **Place** les mots : mélangeant rangeons plongeon mélangeons plongeant

Le champion n'a pas raté son _____.

En se _____, le blanc et le noir font du gris.

En _____ tu as éclaboussé ton cousin.

Nous _____ des œufs et du lait pour faire un flan.

Sur l'étagère, nous _____ les livres.

4 **Relie.**

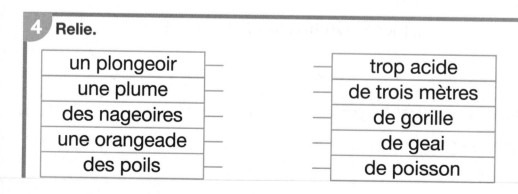

un plongeoir	trop acide
une plume	de trois mètres
des nageoires	de gorille
une orangeade	de geai
des poils	de poisson

date:

1 **Trouve** cinq couleurs de l'arc-en-ciel.

_____

2 **Complète** les mots par ai ou par ain .

Dem_____, nous prendrons le tr_____. Il sait f_____re le p_____.

Je lui serre la m_____. Nous achetons des œufs fr_____s.

Tu invites ton cop_____.

3 **Écris** le nom féminin, comme ceci : un grain : *une graine*

américain : _____   marocain : _____

sain : _____   certain : _____

vilain : _____   africain : _____

4 **Relie.**

| Hier je suis tombé, |
| Aujourd'hui il pleut, |
| Demain j'irai en ville, |

| je reste à la maison. |
| j'achèterai une ceinture neuve. |
| j'ai cassé mes lunettes. |

5 **Complète** les mots par ei , ou par ein .

Karl fait le pl_____ d'essence. Il n'y a pas assez de n_____ge pour skier.

Ce pull b_____ge est en laine. Les fr_____s de mon vélo sont tout neufs.

6 **Fais un dessin plein de couleurs,** comme le parrain de Léa,
puis **raconte** ce que tu as dessiné !

ain - aim - ein

1 Complète les mots par ou , eu ou a .

Le train dér____ille. L'arbre perd ses f____illes. Tu bois avec une p____ille.

Prends ton cahier de br____illon ! Tu as gagné trois méd____illes.

La citr____ille se transforme en carosse pour Cendrillon.

Je n'ai pas rangé ma chambre : quel f____illis ! Je mange un mille-f____ille.

2 Relie.

Je bâille		les rosiers du jardin.
Je taille		est une tige sans grains.
La paille		parce que je suis fatigué.

3 Complète les mots avec : aill ouill euill

La soupe est b____ante. Je me débarb____e avec du savon.

Il s'est perdu à cause du br____ard. Il ramasse des c____oux.

J'aime les bat____es de boules de neige. Tu plies une f____e

de papier. Papa range son portef____e.

4 Place les mots. œillets bouillant rouillé débrouillard pointu brouillés

un thé _____   un gamin _____

des œufs _____   des _____ fanés

un caillou _____   un vélo _____

5 Lis « La grenouille de Camille » et trouve les réponses.

Comment s'appelle la sœur de Véra ? _____

Pourquoi ne faut-il pas jeter les cailloux en l'air ? _____

_____

Où Camille a-t-elle mis la grenouille ? _____

Où a-t-elle oublié son maillot ? _____

Où traînent ses jouets ? _____

Pourquoi Danielle est-elle fâchée ? _____

_____

aill - ouill - euill - œill

date:

---

1 **Complète** les mots par : ou   eu   a   e

l'ab_____ille – le f_____illage – une corb_____ille – la bout_____ille – la t_____ille

des c_____illoux – une merv_____ille – par_____ille – m_____illeur – m_____illé

---

2 **Relie** les mots au dessin.

| les yeux |
| une oreille |
| la bouche |
| le menton |

| un sourcil |
| le nez |
| des cheveux |
| une joue |

---

3 **Lis** « Bâillements et embrouilles » **et trouve les réponses.**

Quel est le nom du spectacle ? _____

Pourquoi Léo bâille-t-il ? _____

Que fait la mère de Léo ? _____

Où met-elle les fruits ? _____

Que se passe-t-il dans la rue ? _____

Qu'est-il arrivé au train ? _____

---

4 **Place** les mots : fille   vieille   réveillé   brouillard

Aladin a trouvé une _____ lampe. Il a rencontré la plus

belle _____ du monde. Ensuite, il s'est perdu à cause

du _____. Il a dormi, puis les oiseaux l'ont _____.

---

5 **Place** les mots : briller   magique   princesse   merveilleux

Aladin a retrouvé le jardin _____. Il a salué la _____

qui l'attendait. Il lui a offert sa lampe _____.

La vieille lampe s'est mise à _____.

---

date:

1 **Complète** les mots avec e ou eu .

J'écoute un bouvr_____il. Le sol_____il s'est caché. Mon rév_____il a sonné.

L'écur_____il grimpe. J'ai somm_____il. Tu es assis dans ton faut_____il.

Ces deux chevr_____ils ne sont pas par_____ils. Je dors à l'hôt_____l.

Mon appar_____il photo est tout neuf. Passe-moi le s_____l et le poivre !

2 **Voici des mots :** demain aujourd'hui hier avant-hier après-demain

Peux-tu les écrire dans le bon ordre sous la flèche du temps ?

Déjà fait. ↓ **Plus tard.**

		aujourd'hui		

3 **Trouve** des mots qui riment avec.

une médaille : un _____

une abeille : un _____

une citrouille : un _____

une ficelle : un _____

4 **Place** les mots : meilleurs surveillent appareil chevreuil

Léa n'oublie pas son _____ photo tout neuf.

Mireille connaît les _____ tours de cartes.

Les moniteurs _____ les enfants.

Soudain un _____ traverse la route.

5 **Place** les mots : soleil mouillé chandail fauteuil

Ce farceur de Guillaume a aspergé le _____ de Léa ;

il est tout _____. Il cachait un pistolet à eau sous son

_____. Léa étale le chandail au _____.

ail - ouil - euil - œil - eil

1 **Sais-tu répondre** à ces questions ?

Quel âge as-tu ? _____

Quel est le prénom de la sœur de Léo ? _____

À quelle heure te réveilles-tu ? _____

Dans quelle classe es-tu ? _____

Que fais-tu à midi ? _____

À quelle heure vas-tu te coucher ? _____

2 **Termine** les mots.

Si tu es attentif, tu fais atten_____. Léo a appris sa récita_____.

Si le chat disparaît, c'est une dispari_____.

Cette usine pollue, elle fait de la pollu_____.

Je mange mon goûter à la récréa_____.

3 **Relie.**

Il y a beaucoup de lumières,	passion.
Le métro s'arrête	des invitations.
Pour une fête, je fais	c'est une illumination.
L'équitation est sa	à chaque station.

4 **Place les mots :** pollution circulation pyramide films invitation

Léo et Léa ont reçu une _____ à Paris.

Maman craint pour eux la _____ et la _____.

Les enfants veulent visiter la _____ du Louvre.

À la grande Géode, on peut voir des _____.

5 **Place les mots :** soustractions marionnettes conditions

Papa est d'accord, mais il met deux _____.

Avant le départ, il faudra triompher des _____.

Il faudra aussi réparer les _____ abîmées.

date:

1 Complète : le mien | le tien | le sien

Ce livre est à lui, c'est _____

Ce livre est à moi, c'est _____

Ce livre est à toi, c'est _____

2 Termine la phrase comme ceci :

Adrien est né à Paris, il est parisien.
Zohra est née à Tunis, elle est tunisienne.

Khâli est née en Inde, elle est _____.

Karl est né en Autriche, il est _____.

Boukari est né au Mali, il est _____.

Paola est née en Italie, elle est _____.

Olaf est né en Norvège, il est _____.

Lucienne est née en Alsace, elle est _____.

3 Relie la phrase et son contraire.

Il part de l'école.	Tu tiens bien le chien.
Tu lâches le chien.	Il revient à l'école.
Il retient la poésie.	Une nouvelle histoire.
Une histoire ancienne.	Il déteste l'eau.
Elle éclate de rire.	Il oublie la poésie.
Il aime l'eau.	Elle se retient de rire.

4 Réponds aux questions par un nombre.

Combien as-tu d'oreilles ? ☐

Combien y a-t-il de chaussures dans une paire ? ☐

Combien y a-t-il d'œufs dans une douzaine ? ☐

Combien y a-t-il d'orteils à chaque pied ? ☐

Combien y a-t-il de musiciens dans un trio ? ☐

Combien y a-t-il de doigts à chaque main ? ☐

Combien y a-t-il d'élèves dans ta classe ? ☐

ien - ienne

1 Complète : existe   n'existe pas

Un poisson volant, ça _____ .

Un cerf-volant, ça _____ .

Un bateau volant, ça _____ .

Une bicyclette volante, ça _____ .

Une fourmi volante, ça _____ .

2 Lis et **corrige** avec X , comme ceci :

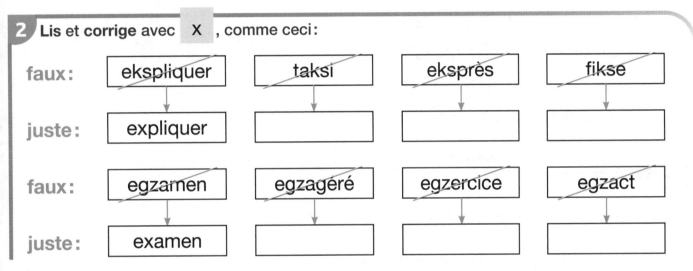

faux : ~~ekspliquer~~   ~~taksi~~   ~~eksprès~~   ~~fikse~~

juste : expliquer   [ ]   [ ]   [ ]

faux : ~~egzamen~~   ~~egzagéré~~   ~~egzercice~~   ~~egzact~~

juste : examen   [ ]   [ ]   [ ]

3 Relie le mot et son contraire.

extraordinaire	—	—	à l'extérieur
à l'intérieur	—	—	sans le vouloir
exprès	—	—	normal

fixe	—	—	faux
exact	—	—	raide
flexible	—	—	mobile

4 Place les mots : exploré   ours   expédition   y a

Dans le Colorado, il _____ des grottes.

Le parrain de Léa organise une _____ .

Léa a un peu peur : elle n'a jamais _____ de grotte.

Elle se demande si elle va y rencontrer un _____ !

5 Place les mots : longtemps   s'exerce   extraordinaires   excitée

Léa _____ à grimper. Elle est toute _____ car elle

a découvert des fossiles _____ ; on lui explique que ce sont

des empreintes d'animaux qui ont existé il y a très _____ .

date:

1 Relie.

On transporte l'essence	au wagon-restaurant.
Nous prendrons un repas	par wagons-citernes.
Ils passeront la nuit	au wagon-bar.
Prenons un jus d'orange	dans un wagon-lit.

2 Écris : c'est exact   c'est faux

Le wapiti est une tente d'indien. _____

Il faut du pain pour faire un sandwich. _____

Erwan est un prénom de garçon. _____

Le kiwi est un jeu de cartes. _____

3 Réponds aux questions.

Où habitent Erwan et ses parents ? _____

Où Léo et Erwan sont-ils allés ? _____

Où trouve-t-on à boire dans un train ? _____

4 Place les mots : cowboys   visite   kiwis   wagon-bar   Indiens

Erwan a rendu _____ à Léo et Léa à Colmar.

Le cinéma Rex passait un film de _____ et d'_____.

Dans le train de nuit du retour, Erwan déguste deux _____

et boit un jus d'orange au _____.

5 Place les mots : galope   week-end   vieux   électricité   se réveille

Dans sa couchette, Erwan rêve qu'il _____ dans la prairie.

Il entend le tch-tch du _____ train. Mais quand il _____,

plus de tch-tch : le train belge marche à l'_____.

En tous cas, Erwan est ravi de son _____.

1 **Écris :** c'est exact   c'est faux

Un tuyau est creux.

Le crayon a une mine.

La cerise a deux noyaux.

Le zèbre a des rayures.

2 **Lis** et **corrige** avec y , comme ceci :

faux :

| moi ien | aboi ier | joi ieux | tui iau |

juste :

| moyen | | | |

3 **Relie.**

une autoroute	—	—	effrayant
un meilleur	—	—	ennuyeux
un travail	—	—	payante
un bruit	—	—	moyen

un voyage	—	—	joyeuse
une fête	—	—	pointu
un noyau	—	—	loyal
un combat	—	—	lointain

4 **Place** les mots : noyau   écailles   rayé   joyeusement

Le petit singe ———————— cherchait des fruits à ————————

ou des pommes de pin à ————————. Il dansait ————————

sur la musique des hommes.

5 **Place** les mots : aboyer   Fuyons !   égayés   tournoya   sauta

« ———————— » se dit le singe, en entendant les chiens ————————.

Trop tard ! On mit le singe dans une cage. Alors il ————————

et ————————. Boukari, émerveillé, le délivra.

Les enfants ———————— dansèrent toute la nuit avec leur nouvel ami.

date:

1 **Complète** les mots.

On fait une bat_____ de boules de neige. La bout_____ est pleine.

En été les rayons du sol_____ sont brûlants. Les arbres ont perdu leurs

f_____. L'écur_____ se cache. Je fais d'abord mes exercices

dans le cahier de br_____on. Ce maçon est au chômage : il n'a plus

de trav_____. Le rouge et le noir ce n'est pas par_____.

Je b_____ parce que j'ai somm_____.

2 **Écris** le son [in] de cinq façon différentes.

3 **Place** les mots.　addition　station　deviennent　attention　illuminations　admiration

Léo et Léa _____ grands.

Pour calculer une _____, Léa fait bien _____.

Léo prend le métro jusqu'à la _____ Louvre.

La pyramide le remplit d'_____ !

Léa préfère Paris la nuit, à cause des _____.

4 **Trouve** des mots qui riment avec :

main : _____　　　　addition : _____

portefeuille : _____　　　　bien : _____

merveille : _____　　　　paille : _____

citrouille : _____　　　　mienne : _____

5 **Complète** par des mots avec　x　.

Je n'ai pas de voiture : en ville, je circule en t_____ ou en bus.

Pour boxer, les b_____ mettent des gants de boxe.

Il a cinq doigts : le pouce, l'in_____, le majeur, l'annulaire, l'auriculaire.

« Je m'excuse, je ne l'ai pas fait e_____ ».

Le h_____ a des feuilles piquantes.

1 **Complète** les mots avec ien ou avec ein .

Sébast_____ s'amuse b_____. Léo le t_____t bien, il ne peut r_____ faire.

Sébast f_____t de tomber et il s'échappe.

Papa répare les fr_____s de mon vélo. Je p_____s avec un gros pinceau.

2 **Place** les mots : habillez   bâillent   soleil   réveil   sommeil

Les enfants ont entendu le _____ mais ils ont encore _____,

ils _____. Papa leur dit : « _____-vous ! »

Le _____ brille déjà et nous allons à la neige.

3 **Place** les mots : bouillant   chevreuil   bouteille   appareil

« N'oubliez pas de remplir la _____ thermos.

Avec ton nouvel _____ photo, Léa, tu pourras peut-être

photographier un _____ ! » Le lait est _____.

4 **Réponds** aux questions.

Que craches-tu quand tu manges des cerises ? _____.

Quel animal vert saute dans la mare ? _____.

Quel fromage a des trous ? _____.

Quel animal a des rayures ? _____.

Comment le chien fait-il fuir le voleur ? En _____.

5 **Complète** avec g ou ge .

Au printemps les arbres ont des bour_____ons. Le phoque agite

ses na_____oires. Dans la cour de récréation il y a une ba_____arre.

Tu fais un plon_____on dans la piscine. Ce singe géant est un _____orille.

6 **Explique** à Léa comment on fait les crêpes.

_____

_____

_____

_____

_____

_____

Imprimé en France par Clerc à Saint-Amand-Montrond
N° d'imprimeur : 13979 - Dépôt légal : fevrier 2009
N° d'édition : 70114977-06/Mai2014